EMF3-0097
合唱楽譜＜合唱 J-POP＞
J-POP CHORUS PIECE

合唱で歌いたい！合唱 J-POP コーラスピース

女声3部合唱

花になれ

作詞：指田郁也、jam　作曲：指田郁也、森俊之　合唱編曲：西條太貴

【この楽譜は、旧商品『花になれ〔女声 3 部合唱〕』（品番：EMF3-0044）とアレンジ内容に変更はありません。】

ELEVATO MUSIC ENTERTAINMENT

花になれ

作詞：指田郁也、jam　作曲：指田郁也、森俊之　合唱編曲：西條太貴

9
ごみにー つよが りなー がらー 「まけ ない ように」と あ るい ているん だろう
ごみにー つよが りなー がらー 「まけ ない ように」と あ るい ているん だろう あ
ごみにー つよが りなー がらー 「まけ ない ように」と あ るい ているん だろう あ
F Gm7(♭5)/F F Dm7 G7 Gm7/C C7
13 B p mp
Oo まよ い は し ない
し も とのー そのはなでーさえー いき ることをー まよ い は し ない
し も とのー そのはなでーさえー いき ることをー まよ い は し ない
B B♭add9 F/A Gm7 C7 F F/A B♭ F/A Gm7 Am7 B♭m7
mp
cresc.
17 mf C
ー 「いきてゆ け」 ぼくー らはー いまー かぜーのなー かでー それぞれのそ
ー 「いきてゆ け」 ぼくー らはー いまー かぜーのなー かでー それぞれのそ
ー 「いきてゆ け」 ぼくー らはー いまー かぜーのなー かでー それぞれのそ
E♭ C A♭ Gm7(♭5) C7 Fm7
mf

21
らをみあげーてる　ぶつかっていーいんだー　ないたっていーいんだー　どこかにー　こたえはーあ
らをみあげーてる　ぶつかっていーいんだ　ー　ないたっていーいん　だ　こたえはーあ
らをみあげーてる　ぶつかっていーいんだー　ないたっていーいんだー　どこかにー　こたえはーあ
E♭m7　A♭7　D♭　A♭/C　B♭m7
25
D
るからー「あきらめないで」　どんなあしーたもー　くるーしいーほどー　そのいのちは
るからー「あきらめないで」　どんなあしーたもー　くるーしいーほどー　そのいのちは
るからー「あきらめないで」　どんなあしーたもー　くるーしいーほどー　そのいのちは
B♭m7/E♭　B♭m7　D♭/E♭　D　A♭　Gm7(♭5)　C7　Fm7
29
つよくかがーやく　か　ぜにー　たついちりんー　ぼくたちもー　はなになーれる
mp　mf
つよく　かがやく　Ah　ぼくたちもー　はなになーれる
mp　mf
つよく　かがやく　Ah　ぼくたちもー　はなになーれる
E♭m7　A♭7　Dm7(♭5)　D♭dim7　Cm7　Bdim7　B♭m7　D♭/E♭

33
mf
あな
A♭ D♭ A♭/C B♭m7 B♭m7(♭5)/F♭ B♭m7/E♭ B♭m7/D♭ C7
mp
mf
E
37
Oo
ゆう
たはいまー きづい て(い)まー すか?ー おおき な ちからは その て にある ことー ゆう
F Gm7(♭5)/F F Dm7 G7 Gm7 C7
41
きはいまー ひかー りにー なる ー みか ん せいでいい たち むかー えるー
きはいまー ひかー りにー なる ー みか ん せいでいい たち むかー えるー そ
F B♭/F C7/F F Dm7 G7 Gm7 Gm7/C C7

45
F
mp
mf
Oo
ゆめ を さ か すよ
の む ねにー だい て るたー ねはー い つ かき っとー ゆめ を さ か すよ
の む ねにー だい て るたー ねはー い つ かき っとー ゆめ を さ か すよ
F
B♭add9 F/A Gm7 C7 F F/A B♭M7 F/A Gm7 Am7 B♭m7
mf
cresc.
49
f
G
ー 「ま け な い で」 だれー もがー いまー ー ときー のなー かでー ー それぞ れ の あ
ー 「ま け な い で」 だれー もがー いまー ー ときー のなー かでー ー それぞ れ の あ
ー 「ま け な い で」 だれー もがー いまー ー ときー のなー かでー ー それぞ れ の あ
E♭
G
A♭ Gm7(♭5) C7 Fm7
f
53
す を さ がしーてる きず ついていーいんだ ー まち がっ ていーいんだ ー な ん どもー たち あがー れ
す を さ がしーてる きずついていーいんだ ー まちがっていーいん だ たち あがー れ
す を さ がしーてる きず ついていーいんだ ー まち がっ ていーいんだ ー な ん どもー たち あがー れ
E♭m7 A♭7 D♭ A♭/C B♭m7

57
H
ばいいーただひとつだけ そのーみらーいへー てをーのばーしてー まっすぐにさ
ばいいーただひとつだけ そのーみらーいへー てをーのばーしてー まっすぐにさ
ばいいーただひとつだけ そのーみらーいへー てをーのばーしてー まっすぐにさ
B♭m7/E♭ B♭m7 D♭/E♭ H A♭ Gm7(♭5) C7 Fm7
61
くはなのよーうに ひとはだーれもー つよくなれるー あなたもー きっとなーれる
mf f
くはなのように Ah あなたもー きっとなーれる
mf f
くはなのように Ah あなたもー きっとなーれる
E♭m7 A♭7 Dm7(♭5) D♭dim7 Cm7 Bdim7 B♭m7 D♭/E♭
65 I
D♭M7 D♭mM7 Cm7 Fm7 F7(♯9) B♭m7 Cm7 D♭M7 B♭m7 Bm7 Cm7 D♭m7
I
ff
con passione
Ossia
Dm7(♭5) D♭mM7 Cm7/G Cm7 Fm7 F7(♯9)/A B♭m7 Cm7 D♭M7 B♭m7 Bm7 Cm7 D♭m7 Dm7(♭5)
f con passione

69
J
mp
こ た え の ない まいにちにー たちど まって も
p
Oo
p
Oo
B♭m7/E♭
D♭/E♭ E♭7
J A♭
Gm7(♭5)
mf
mp
73
ー そのなみだは はじまりのーサイン ほらたいようがー
Oo
ー はじまりのーサイン Oo やさしいかぜがー
ー はじまりのーサイン Oo ぼ
Fm7 Fm7(♭5) B♭m7 E♭m A♭7 D♭ A♭/C
mp
cresc.
77
f
K
ー みつめているからー「いきてゆけ」ぼくーらはーいまー かぜーのなーかで
みつめているからー「いきてゆけ」ぼくーらはーいまー かぜーのなーかで
くらをー みつめているからー「いきてゆけ」ぼくーらはーいまー かぜーのなーかで
B♭m7 E♭7 B♭7sus4 D♭/E♭
K A♭
Gm7(♭5) C7

81
ー それぞれのそ らをみ あげーてる ぶつかっていーいんだー ないたっていーいんだー か
ー それぞれのそ らをみ あげーてる ぶつかっていーいんだ ー ないたっていーいん
ー それぞれのそ らをみ あげーてる ぶつかっていーいんだー ないたっていーいんだー か
Fm7 E♭m7 A♭7 D♭ A♭/C
85
L
ならずー こたえはーあ るからー「あきらめない で」 どんなあしーたもー くるーしいーほど
だ こたえはーあ るからー「あきらめない で」 どんなあしーたもー くるーしいーほど
ならずー こたえはーあ るからー「あきらめない で」 どんなあしーたもー くるーしいーほど
B♭m7 B♭m7/E♭ B♭m7 D♭/E♭ L A♭ Gm7(♭5) Gdim/C Dm7(♭5) Edim7
89
ー そのいのちは つよくかがーやく か ぜにー たついちりんー ぼく
ー そのいのちは つよく かがやく Ah ぼく
ー そのいのちは つよく かがやく Ah ぼく
Fm7 E♭m7 A♭7 Dm7(♭5) D♭dim7 Cm7 Bdim7

93
M
たちもー はな になー れるー かぜにー さくいちりんー
たちもー はな になー れるー かぜにー さくいちりんーーー
たちもー はな になー れるー かぜにー さくいちりんーーーー
B♭m7 D♭/E♭ E♭7 A♭ F7(♯9) Dm7(♭5) B♭m7(♭5)/D♭ Cm7 Bdim7
97
mp
N
ーぼく たちもー はな になー れる ー ー Oo
ーぼく たちもー はな になー れる ー ー Oo
ーぼく たちもー はな になー れる ー Oo
B♭m7 E♭7 A♭ A♭ Cm7 B♭m7 E♭sus4 E♭7/D♭
p
102
div.
rit.
pp
Oo
Oo Oo
ー Oo Oo
Cm7 F7(♭9) B♭m7 D♭/E♭ E♭7(♭9) A♭add9
8va
mf
rubato

花になれ

作詞：指田郁也、jam

あなたは今笑えてますか?
どんな息をしてますか?

人混みに強がりながら
「負けないように」と
歩いているんだろう

足許《あしもと》のその花でさえ
生きる事を
迷いはしない

「生きてゆけ」
僕らは今、風の中で
それぞれの空を見上げてる
ぶつかっていいんだ
泣いたっていいんだ
どこかに答えはあるから

「あきらめないで」
どんな明日も苦しいほど
その命は強く輝く
風に立つ一輪
僕たちも花になれる

あなたは今気づいていますか?
大きな力はその手にあること

勇気は今、光になる
未完成でいい
立ち向かえる

その胸に抱いてる種は
いつかきっと
夢を咲かすよ

「負けないで」
誰もが今、時の中で
それぞれの明日を探してる
傷ついていいんだ
間違っていいんだ
何度も立ち上がればいい

ただひとつだけ
その未来へ手を伸ばして
真っすぐに咲く花のように
人は誰も強くなれる
あなたもきっとなれる

答えのない毎日に
立ち止まっても
その涙は始まりのサイン
ほら太陽が
優しい風が
僕らを見つめているから

「生きてゆけ」
僕らは今、風の中で
それぞれの空を見上げてる
ぶつかっていいんだ
泣いたっていいんだ
かならず答えはあるから

「あきらめないで」
どんな明日も苦しいほど
その命は強く輝く

風に立つ一輪
僕たちも花になれる

風に咲く一輪
僕たちも花になれる

ELEVATO
MUSIC ENTERTAINMENT
エレヴァートミュージックエンターテイメントはウィンズスコアが
展開する「合唱楽譜・器楽系楽譜」を中心とした専門レーベルです。

ご注文について

エレヴァートミュージックエンターテイメントの商品は全国の楽器店、ならびに書店にてお求めになれますが、店頭でのご購入が困難な場合、当社WEBサイト・電話からのご注文で、直接ご購入が可能です。

◎当社WEBサイトでのご注文方法

elevato-music.com

上記のURLへアクセスし、オンラインショップにてご注文ください。

◎お電話でのご注文方法

TEL.0120-713-771

営業時間内に電話いただければ、電話にてご注文を承ります。